Les Laurentides

au fil des saisons

97-B, Montée des Bouleaux,
Saint-Constant, Qc, Canada J5A 1A9.
Tél. : (450) 638-3338 **Téléc.** : (450) 638-4338
Internet : http://www.broquet.qc.ca **Courriel** : info@broquet.qc.ca

Catalogage avant publication
de la Bibliothèque nationale du Canada

D'Aoûst, Jean

Les Laurentides au fil des saisons

ISBN 2-89000-775-8

1. Laurentides, Les (Québec) - Ouvrages illustrés. 2. Laurentides,
Les (Québec) - Poésie. I. Vigneault, Gilles, 1928-   . II. Titre.

FC2945.L387D36 2006   971.4'2400222   C2006-941091-7

Pour l'aide à la réalisation de son programme éditorial, l'éditeur remercie :
le gouvernement du Canada par l'entremise du Programme d'aide au Développement
de l'industrie de l'Édition (PADIÉ); la Société de Développement des Entreprises
Culturelles (SODEC); l'association pour l'Exportation du livre Canadien (AELC),
le gouvernement du Québec - Programme de crédit d'impôt pour l'édition de livres -
Gestion SODEC.

Textes Copyright © Gilles Vigneault
Photographies Copyright © Jean D'Aoûst

Copyright © Ottawa 2006 - Broquet Inc.
Dépôt Légal - Bibliothèque nationale du Québec
4e trimestre 2006

Révision : Denis Poulet
Direction artistique : Brigit Levesque
Éditeur : Antoine Broquet

ISBN_10 : 2-89000-775-8
ISBN_13 : 978-2-89000-775-8

Imprimé en Chine

*Pour mon père, « maintenant
un rayon de plus à ma lumière »,
ma mère, ma femme et
ma fille chérie*

Jean

Dédicace

La nature a établi sa loi, tout meurt et tout renaît.

De l'aurore du printemps au crépuscule de l'hiver

Naîtra le lys et mourra le papillon.

S'enfileront sur le collier des saisons

Les billes colorés des jours heureux et

Les perles noires des nuits sans fin.

Le plus petit ruisseau deviendra rivière

Dans la mer mourra le grand fleuve.

Le merle reviendra cachant, sous son aile, le printemps

La bernache laissera derrière elle un froid manteau blanc.

Ainsi commence, ainsi fini la plus belle de toutes les histoires

Au fil des saisons s'écrit la plus belle des chansons

REMERCIEMENTS

Un merci tout particulier à mon père et à ma mère qui m'ont toujours appuyé dans tout ce que j'ai entrepris. Merci à ma femme Michelle, pour sa patience souvent mise à l'épreuve. Merci à Yves, photographe et professeur au Cégep du Vieux Montréal, pour ses précieux conseils, merci à François, photographe et collègue chez Air Canada, dont les suggestions m'ont beaucoup aidé, merci aussi à deux autres collègues d'Air Canada (qui se reconnaîtront) pour leur soutien extraordinaire. Merci à Denise Beaudoin, députée de Mirabel, pour avoir cru en mon projet ainsi qu'à son attachée politique Françoise Drapeau-Monette. Enfin, merci à ma sœur Marie qui a signé la préface et le poème qui l'accompagne.

DÉTAILS TECHNIQUES

Presque toutes les photos ont été réalisées avec un Canon 20D, 8,5 Mp, (objectifs Canon 17- 40mm f4, 70- 200mm f4 série L, et 17- 85mm EFS f3,5- 5,6 IS,) sauf quelques-unes qui l'ont été avec un Canon 10D, 6 Mp. Les images ont été saisies au cours d'une seule année, et ce, au fil des quatre saisons. Prises en format RAW, elles ont été retouchées pour certaines corrections de base seulement.

Introduction

Les séances de photos nécessaires à la réalisation de ce livre se sont déroulées au cours d'une seule année, soit en 2005. Cela constitue un exploit, non seulement parce que les journées propices à la photographie en chacune des saisons sont limitées, mais aussi parce que cette période a été difficile sur le plan émotionnel. En effet, c'est au cours de cette année que nous avons appris que notre père souffrait d'une très grave maladie. Jean est donc souvent parti sous l'emprise d'un téléphone cellulaire qui le tenait rattaché à une réalité douloureuse. Peut-être est-ce l'une des raisons qui expliquent la profonde sensibilité dont sont empreintes les photos de ce premier livre?

Mais il ne s'agit pas d'une œuvre triste. Au contraire! Comment pourrait-il en être autrement, puisque la lumière de l'une des plus belles régions du Québec colore ce livre.

La vie cache dans sa besace de bien étonnantes surprises. En effet, en 1969, un nouveau villageois s'installe pour quelques années dans notre village, Saint-Hermas. Il allait apprendre à découvrir et à aimer cette région qui ouvre la porte des Laurentides. Ce nouvel arrivant était Gilles Vigneault. Grâce à ce séjour de quelques années, les chemins du poète et du photographe se sont croisés. Et le hasard a voulu qu'à nouveau ils se croisent.

Ainsi, pour faire honneur à cette région de montagnes et de vallons, de lacs et de rivières, Gilles Vigneault, le poète aux mots mouvants comme la vie, a bien voulu prêter sa plume. En effet, ce grand auteur, musicien, chanteur, capable de dire et de chanter les contrastes saisonniers jusqu'à nous faire rêver l'hiver en espérant l'été, a écrit les textes qui accompagnent, au fil des saisons, les photos de ce livre.

De son côté, Jean, photographe passionné, témoigne grâce à l'objectif de son appareil, de son amour de la nature et de son attachement à la région qui l'a vu grandir. Il a voulu, dans ce premier livre, présenter les Laurentides dans toute leur splendeur, les revêtir d'une véritable palette de luminosité engendrée par les saisons qui défilent.

Jeune, il se faisait trappeur ou pêcheur non pas pour remplir une gibecière souvent inutile, mais plutôt pour se noyer dans les matins brumeux ou pour s'abreuver des crépuscules éphémères. Il traque avec ses yeux et emprisonne les images dans son appareil ou dans un coin de sa mémoire d'où il viendra les chercher. Plus qu'une passion, pour lui la photo est devenue un mode de vie, une deuxième peau. Derrière ses profonds yeux bruns, se cache le « clic » de son appareil à l'affût d'une prise que fixera sa mémoire. Même sans son gros sac noir, où niche son attirail, il ne cesse de photographier la vie qui défile.

La poésie de Gilles Vigneault et les photos de Jean rendent hommage à une région née aux temps de la colonisation. Façonnée par le travail et la sueur de ses premiers habitants, elle a grandi tout en préservant sa beauté et son caractère unique. Telle une courtepointe bordée de routes sinueuses qui relient ses nombreux villages accueillants, la région des Laurentides s'ornemente de territoires urbains et d'habitats sauvages.

Les photos de ce livre en dévoilent un aspect. Mais il en reste encore beaucoup à découvrir.

printemps

L'eau la meilleure à boire

Sourd comme un beau secret,

Ou du creux d'un rocher,

Ou du fond des forêts.

Pour être la meilleure,

L'eau pure a besoin d'ombre...

printemps

Chaque journée était

Un panier de soleil

Qui fuyait à la voile

Sur le lac des vacances

On ne saurait aborder en même temps

les deux côtés de la rivière.

Il faut risquer de perdre une rive à

jamais, pour un jour toucher l'autre.

Des fleurs m'ont dit de vous des choses

Que je n'ai pas su voir jadis

Tous ces jours où le blanc d'un lys

N'avait de chant que pour les roses

Or, je vous sais plus douce et plus

Apte à la joie où nous convient

Les plus beaux gestes de la Vie

Et je sais ceux qui vous ont plu...

Qui sème en mars a droit de feuille

Comme au mois de mai, droit de fruit...

Comme un peu de votre âme bruit

Partout pour peu que le vent veuille

Des fleurs m'ont dit que je vous aime

Et qu'il se peut que vous m'aimiez

Si vous passez près du pommier

Les mots du vent seront les mêmes...

Une femme seule au monde

S'en est allée de la ville

Mais n'a pas eu de départ

Une femme seule au monde

Ne s'en va de nulle part

À moins que cet inconnu

Qui l'a suivie à la gare

Et l'a regardée partir

Ne se dise en revenant

C'est dommage : elle était belle !

Alors la voilà qui part

Sans savoir que derrière elle

Quelqu'un fait de son départ

Quelque chose, quelque part...

été

J'ai mis de côté des nuages	Mettez de côté des caresses
Dans un coin du ciel.	Dans un coin de vous
Ces vieux compagnons de voyage	Et sachez que tout m'intéresse
Mangent le réel.	Au plus que partout...

Quand les jardins

Sont semés

On ne se sent plus seul

Responsable de tout.

La terre

Reprend son tour de garde

Quel bel endroit pour s'arrêter,

souffler un peu puis faire le thé.

Et comme disait ce vieux

Montagnais rencontré entre le

Lac Irène et le Lac Presqu'île :

Quand on veut aller loin,

faut savoir donner une chance

à ses meilleurs amis...

Et il regardait ses deux pieds.

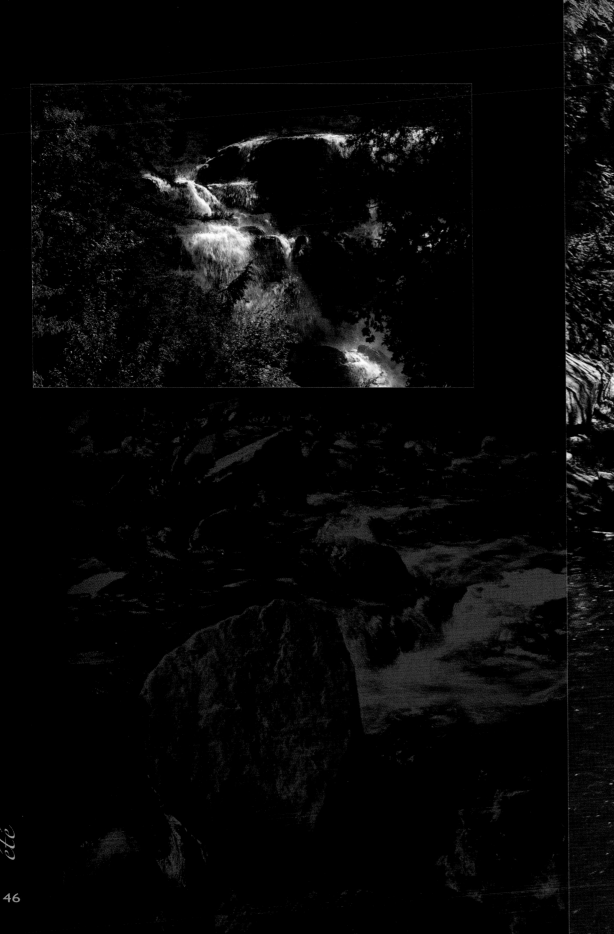

Canot sur le dos,

La hache en main droite,

Parés à partir.

Au pied du portage,

Il a fait trois pas

Puis s'est arrêté.

Sans se retourner,

A laissé tomber :

« Pour l'autre partie

De notre voyage,

Passe donc devant.

Tu l'as déjà fait

Ce portage-là ? »

Le long des moindres paroles

Des moindres gestes qui sont

Entre les mots qui s'affolent

Coule l'eau d'une chanson

Elle va de pierre en pierre

Elle fait quoi la première

Se promener la lumière

Sur des ailes de poisson

Mais sa voile neuve et fière

Est déjà la prisonnière

Du dernier des horizons

Qu'est-ce que poésie

Sans vos yeux pour la lire ?

Que dit le mot poème

À la page tournée ?

Et que dit le mot cœur

Si vous n'entendez pas

Dans les bruits de la vie

Que c'est pour vous qu'il bat ?

été

Rêvant de la ville,	La ville
Un village	Avale le village
Y voit souvent	Et n'en garde
Son avenir.	Aucun souvenir.

La faux est passée   D'où viennent ces cris ?   Tiens ! Sa mélodie

Tout l'après-midi   Ne sois pas surpris :   Vient de les trouver.

J'ai mis de côté des paroles

Dans un coin du vent.

Ce sont de naïves boussoles

Qui trompent souvent.

Mettez de côté quelques larmes

Dans un coin du cœur.

C'est la plus tendre de vos armes

Si vous avez peur...

automne

Je suis comme un arbre en voyage

Je m'en vais racines en l'air

Mais de voir le monde à l'envers

Me coûtent fleur, fruit et feuillage

Je cherche un pays de mon âge

Un bout de terrain pour l'hiver

Car ne veux être à découvert

Quand le froid prendra mes nuages

Les oiseaux que j'avais en tête

Se sont enfuis de moi en quête

D'un lieu moins fol et moins mouvant

Trouverais-je si je m'arrête

Autre voix que celle du vent

Pour me remémorer leurs fêtes ?

automne

Le calme des eaux

Le bruit de roseaux,

Le chant des oiseaux

Habitent ma tête

Les couleurs du Temps,

Les odeurs du Vent,

Les soleils levants

Habitent mon cœur.

Que la maison était belle

Que le jardin était vert

Mais les fleurs sont infidèle

Au voyageur de l'hiver

Je sais qu'il est venu

J'ai reconnu

De ses manières

Et je n'en finirai plus

D'enlever la poussière

Sur le bonheur perdu

Il est entré à son aise

Il a posé son manteau

Il s'est assis sur la chaise

Le bois est encore chaud

Je sais qu'il a sifflé

Sans m'appeler

automne

Le
soir
s'en
vient
les
et   oies
leurs   s'en
mots   vont
font   voir
des   si
trous   dans   le
les   vent
hauts   est
du   plus
ciel   chaud
plus   gris   vers
loin   le
au   sud
nord   le
froid
est
prêt

automne

Dans les forêts

De ces pays

Que chaque automne

On reconstruit...

Pour les oiseaux

Très loin d'ici...

Sur le lac gris...

Le soir est pris.

102

automne

Dans le cœur que l'amour laisse tout à l'envers

Il ne faut surtout pas lui demander son âge

Et la laisser finir de préparer l'Hiver

C'est ce pont que je construis

De ma nuit jusqu'à ta nuit

Pour traverser la rivière

Froide obscure de l'Oubli

Voilà le pays à faire

Il me reste un nuage à poursuivre

Il me reste une vague à dompter

Quelqu'un était ici.

Quelqu'un s'en est allé

Pour chercher un pays

Dont nul n'avait parlé.

En buvant de la bière,

Il s'en est souvenu,

Puis il a disparu

Par le chemin de pierre.

S'il passe à votre porte

Dites-lui que naguère

J'ai perdu de la sorte

Une île et deux rivières

À poursuivre ces terres

Que l'horizon transporte.

hiver

hiver

Sur le geste le plus simple

Sur le mot le plus banal

Je voyage

Sur votre hésitation même

Sur votre regard perdu

Je voyage

N'essayez pas de me suivre

Ou m'empêcher de partir

J'appareille

Vers une terre inconnue

Où des pleurs d'enfant m'appellent

J'appareille

Vers une douleur aiguë

Qui ne m'a pas dit son nom.

Mais qui chante

La vieille complainte humaine

Que méprise le tambour?

Mais, qui chante

Un homme, un jour, rencontra sur son chemin *LA VÉRITÉ*

toute nue. Il la trouva très belle et lui dit aussitôt :

vous semblez avoir froid. « Parfois... répondit-elle. »

Et l'homme se mit alors en frais de la vêtir.

Ils sont depuis inséparables.

L'homme s'est fait conteur.

hiver

Les jours s'en vont	Mais le cœur sourd	Du vaste ennui
La nuit les serre	N'en sait rien voir	Comme un brouillard
D'un peu plus près	Il ne sait pas	Des alentours?...
De soir en soir	Le mois, le jour...	Le jour s'en va
D'un peu plus tôt	Le cœur... Il bat.	Dormir ailleurs.
D'une aube à l'autre	Est-ce de peur?...	Restons ici
Ce temps qui ment	Est-ce d'amour?...	Me dit mon cœur.

Le cristal des honneurs

Est pareil au verglas

Qui scintille au soleil

Sur ces grands arbres las

Mais que le temps se couvre

Et que le vent se lève

Et l'arbre est pris de peur

La gloire aussi est brève

hiver

Vous ai-je rêvés ?

Suis-je seul au monde ?

Je sonde, je sonde...

Tout reste à prouver.

Au bord d'un désert,

Mot à mot, j'avance.

Je suis sans défense

Face à l'univers.

hiver

L'espace

est enfermé

dehors

Le temps

est prisonnier

dedans

Aucun loup

Ne hurle

Et pourtant

La lune

Est pleine

À ras bord

D'une eau

Lumineuse

Volée au soleil

Elle attendra

Jusqu'au petit jour...

Jusqu'au petit jour

Et pâlira.

hiver

Pour son immense appétit

Et, l'air de rester petit,

Ça vous reconstruit le monde.

Ça vous oblige à renaître,

Ça vous ouvre vos fenêtres,

Quitte à sortir le premier...

Ça vous emprunte une pomme

Et, bien avant d'être un homme,

Ça vous rend tout un pommier.

J'ai rendez-vous avec le vent

Le vent qui disperse la cendre

Je ne veux pas le faire attendre

Je l'ai déjà fait trop souvent

J'ai rendez-vous avec le vent

Ainsi parlait un voyageur

Qui revenait du bout du cœur

Neiges que je croyais tombées

Et toujours suspendues dans l'air

Mélopées longues mélopées

Racontez le Temps qui se perd

Givres verglas et giboulées

Grésils vivants frimas glaçons

Vous êtes mon âme échappée

Par les carreaux de ma chanson

Me voici chantant sur le monde

Vêtu de vos éternités

Comme si la terre était ronde

Et n'avait point d'autre côté

C'est le long de vos matins blêmes

Que mes vrais yeux se sont ouverts

Et j'ai tout appris de moi-même

Dans le beau livre de l'hiver.

hiver

river

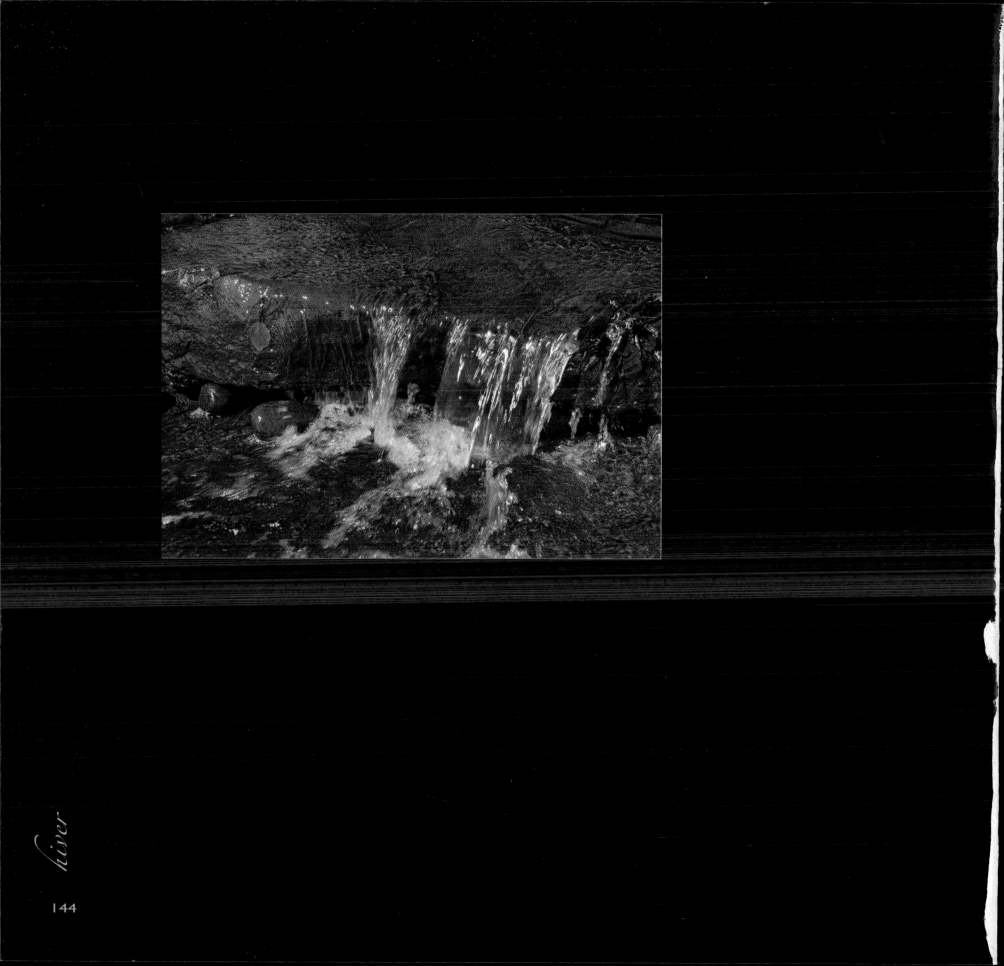